←本篇不可能出現的認真MODE～

古巴科長

〈配角〉

大魔法

RESET

搜查線

Ⅰ

霖羯

陳浩基 原案

CONTENT

紅伯爵——

就在我們之中！！

FILE:1
新官上任

數日前

那個兩層樓高的大傢伙就這麼應聲倒地，他的夥伴也嚇得不敢再上前！

我們又一次在魔族的進攻下守住了帕加馬…

緊接著！

老夫就撿起倒下同伴的槍，衝過去給那魔族致命一擊！

嗳——

雖然大家都說我們種族個體差異很大，但魔族應該沒辦法長到兩層樓高耶。

8

吵死了！臭魔族！

要不是看在國王的面子上，像你這種奸險狡猾的傢伙休想進帕加馬一步！

妖險狡猾的傢伙休想進帕加馬一步！

您說得是、您說得是。

和平條約萬歲！心胸開闊的甘布尼亞王萬歲！

魔族不會對和平條約不滿嗎？

也是有那種傢伙啦。

但有個腦袋發熱的戰爭狂魔王，我們小老百姓也很困擾啊。

那個人類的騎士叫什麼來著？

海參威？

海明威？

海明頓。

馬車上可以做生意嗎？

唉唷！又不在城牆內，哪來這麼多限制啊！

前提是民用馬車——

但這輛馬車隸屬帕加馬鎮的帕加馬公設驛站，

馬車相當於帕加馬鎮的公權力延伸。

依照大部分的城市法，在公共區域內未經允許鋪設商販是違法的。

小哥，別這麼古板嘛。

我請大家吃糖，咱們交個朋友，王城來的高級貨喔～

放下

嗄…

不對…

已經要到囉。

小姐…？

薩伊先生您也不是第一次在馬車上推銷被警告了，

還是低調一點吧。

帕加馬的警察可是不好惹喔。

沒錯。

幸好今天還不算，

以後走夜路小心撞到警察喔。

違規擺攤就算了，

賄賂公職可是重罪。

賄賂？

14

沿著主幹道走就能夠到達斯巴廣場市集…

我看看…

巨人、

矮人、

精靈、

魔族…

蜥蜴人!?
第一次
看到。

半身人…

不愧是號稱種族最多元的城市。

帕加馬人口分布統計：

精靈 23%

人類 59%

矮人 12%

其他 6%

甘布尼亞可是人類王國啊。

沒穿褲子仍起舞，孩子們都取笑你，當你躲在樹上吐。

白臉羅蘭

白臉羅蘭

呀啊啊啊啊！

不管再怎麼遙遠，畢竟是貿易重地，還是聽得到王都的歌啊…

鐵匠布萊克先生請到二號櫃台——

是這傢伙先開始的！

他居然敢說矮人都是沒文化的老粗！

胡說八道！哪有擅闖民宅隨便取走財物的勇者啊！

喂！這個用風魔法割破女性衣物的變態要交給哪一組？

路希，那個竊盜慣犯丟下的贓物還在這喔。

抱歉，我馬上拿去建檔。

人手不足嘛。

感覺真忙碌啊。

哼！跑得了一時跑不了一世。

這次還是讓黃鼠狼跑啦？

喔喔喔喔！您就是德布西警長吧？

幸會幸會。

沒想到從總署調來的菁英是這麼可愛的女孩子，

和您一同工作敝人真是三生有幸！

呃…過獎了…

讓我來為您介紹未來的同事！

最資深的這位是尤金警長，

二局的各位都習慣叫他大師。

有什麼問題儘管請教他就對了！

難道不是請教身為長官的你嗎？

【警長】
尤金·布力克史密斯
前僧侶／人類

少年犯罪科？那是什麼？

我要進的不是少年犯罪科嗎？

等等…萬事科!?

請多指教…

我們這裡是魔法罪刑及嚴重罪案科暨內務二課兼人事科簡稱，

「萬事科」！

上至凶殺盜竊違規搶劫，下至員工旅遊津貼聯誼都由我們一手包辦！

人手不足？

人手不足。

不是…我在總署頂多對付過一些少年犯，

逮捕成年重刑犯之類的事不在我的專業範圍啊！

有、有什麼關係，就當是老一點的少年犯…

最好是！

不…
不是啦，

您看嘛！

我們怎麼忍心
讓唯一的女警長
受傷呢？

您可是二局之花，
只要在辦公室
調查和指揮就行了，

我們絕對不會讓
骯髒的罪犯碰您
一根寒毛！

我不是這個
意思……

拜託啦…

我們真的
超級超級
超級超級
需要人手嘛～

入職單

戰鬥之類的
我是真的幫
不上忙喔。

當然當然，
粗重和危險的
工作交給那邊的
肌肉棒子就行了！

找到總督大人的愛貓——小白！！

喔喔喔！機會來啦！明年的經費有著落啦！這次一定要讓一局好看！！

……你也真是不容易啊。

……

魔法使的威力評鑑

太低了吧！

我的威力評級只有一見。

識君　超級強

無冠　超級無敵霹靂強

參祭　很強

二識　平均水準

一見　學徒不如

評級這麼低怎麼不見你拿個法杖？

虧你手無寸鐵的從王都旅行過來耶！

啊那沒用的啦。

雅迪　解除了火焰增幅石法杖

雅迪　裝備了火焰增幅石法杖

你看。

等等…我好像聽說過,

術科成績不行,用學科成績去彌補就好啦。

別開玩笑了,公職的筆試難得要死,誰不是拚命在術科成績拉分…

幾年前誕生了有史以來唯一筆試滿分的人……

在「有正確答案問題」上得到滿分,這種事只要努力一下誰都做得到吧?

那又是啥？
總督的狗嗎？

他是——八年前，

在四個月內至少殺了二十八人，

帕加馬有史以來最凶惡的連續殺人犯。

FILE:2

越獄

紅伯爵。

無人知曉他是誰
又從哪裡來。

唯一可以確定
他是一位
高強的魔法使。

幾乎無人目睹
案發經過，

也無人聽見
受害者的掙扎。

直到清晨曙光
重新照進某個
昏暗的角落，

帕加馬的市民
才會發現——

那彷彿由世間最殘酷的惡意所雕鑄的塑像。

我要去向局長報備，調查就交給你們囉！

等等，不是說好凶惡犯罪我不負責嗎!?

那個甩鍋俠說的話你敢信？

我們除了他是個五十歲上下的男性、左手有六指外，什麼也不知道。

這樣啊…

既是很強的魔法使又是瘋子，我是能拿人家怎麼辦啊？

不講人話的對象連騙都騙不動啊！

你跟科長抱怨啊，和我說幹麼！

糟糕！

駝獸？

速度好快！
失控了嗎？

前面是人群聚集的街道——

推開──！

嘖！

路希！？

那是…

一局的車！

那個人是一局的局長，也是逮捕紅伯爵的英雄。

人稱——

這是安提托獸吧?

這位是今天入職的雅迪妮絲・德布西警長。

你又是誰?

這是蜥蜴人常用的駝獸,體型巨大性格溫馴。

不過進入交配期就會變得異常暴躁。

所以說,把這種危險的生物帶進來…

這就是問題了。

安提托獸的交配期需要一種當地的花粉做催化，

只要遠離家鄉就沒有發情的可能。

也因此才成了蜥蜴人長途旅行的首選。

仔細看牠們臉部的鱗片還殘留著一些粉末。

但這兩隻安提托獸卻莫名其妙發情了，

換句話說——這是起人為事件。

有人故意對牠們潑灑了育種用的花粉萃取物，對吧？

就說了！牠們…會好！

今天…奇怪！

冷靜下來用母語好好說吧！…不然你的翻譯也幫不上忙

啊！

總之這可能是惡性商業妨礙，調查結果出來之前證物還是好好保……

少囉嗦。

局長……

這些三二局的傢伙在妨礙公務……

我聽見了。

我們還有更重要的事情要辦，讓隨行警員留下來處理現場就行了。

是……

通知商會叫他們派遣善於處理蜥蜴人駝獸的專家來，這是重要的證物，不能有所閃失。

聽到了吧！快去！

待會見，德布西警長。

……？

那個弗雷克局長，也是要去調查紅伯爵嗎？

八成是吧。

他是怎麼抓到紅伯爵的？

那時警局瀰漫著一股低靡的氛圍。

畢竟紅伯爵的殺人手法太過特異、又神出鬼沒，很多人甚至認命，將他當作「不可避免的天災」。

他追捕紅伯爵的過程相當戲劇性呢。

當年只是低階巡警的弗雷克，卻比任何人都認真專注於追捕紅伯爵。

最終於讓他在激烈戰鬥後逮到機會，將其制服。

然後沒多久就從巡警升副警長、副警長升督察。

三年前拆分一、二局時，更是升格當上一局局長，把我們的派斯局長氣得要死。

總督

新局長

你就去二局開荒吧！

什麼!?

與其得到一個評級，讓他人、甚至自己給自己貼上標籤，

不如用實績來展現自己的能力。

能力夠強，有足夠可能性的人才能說的話啦。那也是

？

總之，弗雷克不過就是個愛現的傢伙罷了。

就算紅伯爵是他親手抓的，都當上局長了，該把事情交給底下的人做了吧？

話不能這麼說。

弗雷克他有非得親自捉拿紅伯爵的理由。

黑木監獄

局長，我們到了。

唉呀，這不是二局的大師嗎？

【典獄長】
斯底斯・潘恩

好久不見，潘恩獄長。

真的好久不見，原來您還在一線啊！

馬馬虎虎吧。

……

那麼，有何貴幹啊？

既然二局到了，就請把紅伯爵逃走的經過再描述一次吧。

原來如此，既然弗雷克局長這麼說了……

今天下午的自由時間，

他和其他囚犯一起在後院放風。

但不知怎麼突然消失了。

我們馬上派出搜索隊，但完全不見蹤影。

離他最近的出口是通過食堂、穿過半區抵達工作人員進出的後門。

不知道為什麼，途中的門都沒上鎖。

他也像事先知道巡邏路線般完全沒重上王可

禁咒法——

需要現行魔法
公會十位長老
共同施展，

可以永遠封印
一個人體內的
魔力。

被施以禁咒法
的人此生再也
無法使用魔法。

居然還用上
這麼麻煩的
東西…

這種重刑犯
判個死刑一了
百了不好嗎？

……

就算沒有魔法，
那傢伙的直覺
也如野生動物
般敏銳，

也許警備上的
些微疏忽，
就足以讓他嗅到
逃走的機會。

不好意思，

這位警長
您不是
本地人吧？

對，
我今天
才到任。

那也難怪了。

是帕加馬全體市民，作為文明社會的榮耀。

對於紅伯爵「不殺」的判決。

這個決定奠基在對人性和法治的深刻理解。

請您謹記。

那你呢？

你也覺得
這樣就
可以了嗎？

就不覺得哪裡
很奇怪嗎？

如果你是指
他們瞧不起人
的態度——

很討厭，
但一點也
不奇怪喔。

大魔法搜查線

RESET

FILE:3
弄臣世家

現任「宮廷傻瓜」——羅蘭·薩默斯·德布西男爵。

正是家父。

你是貴族!?

嘖。

「愚者卡爾」

雖是最低階的貴族，但當年的國王給了德布西一族一項特權——

本名卡爾・德布西。一位以開創性手法，將魔法揉合進詼諧舞蹈中的藝術家。

因格外受當年國王喜愛而被冊封為貴族。

「違抗王令」。

從此，名為弄臣的新職位誕生於甘布尼西亞的宮廷之中。

將王位讓給德布西亞男爵三天。

朕的窗戶都去哪了!?

德布西亞大人，全拆掉了。

說您削減蓋城牆經費真是個好點子，寢宮也請比照辦理。

歷代弄臣除了娛樂王室之外，也肩負以玩笑勸諫國王的職責。

朕以後蓋章會，現在好好看內容的，好給我下來。

現今第十六代弄臣以塗白的小丑臉，滑稽的戲劇與舞蹈聞名，人稱「白臉羅蘭」。

所以…白臉羅蘭是本名嗎…？

原來就叫羅蘭啊

當代弄臣的渾名會因為民間創作廣為流傳，但貴族本名就很少有人知道了。

還是唯一不怕被他告的貴族

是唯一開玩笑就很少有人知道了。

無論平民還是貴族，在公職考試前一律平等。

德布西小姐如此年輕就獲得警長一職，必定有其過人之處吧？

……沒什麼，運氣好罷了。

那這份運氣也必定能用在逮捕犯人上。

但我們一局歡迎所有想要站在最前方與罪犯對峙的人，專注在基礎工作上確實很重要，

您可以考慮一下。

100

搞半天是來挖角的!

走吧,車夫都要下班了

就說了不想幹嘛……

叮

幹麼,有什麼想說的就說吧。

白臉羅蘭歷險記

你知道弄臣的工作是什麼嗎？

呃——唱歌跳舞？

我要為皇后編一隻舞！

唉呀！

你…是不能繼承家業才出來工作嗎？因為是女孩子？

取笑你，孩子們都

白臉羅蘭白臉羅蘭

沒穿褲子，仍起舞，

當你躲在樹上吐。

是「成為全國的笑柄」！

那白痴老爸也不想想自己都一把年紀了，還每天化那種可笑的妝，在宮裡的地板滾來滾去，

是個人都能對他吐口水…

喔喔，所以紅伯爵沒有恢復法力嘛！

可以…？

我沒意見。

那就不用擔心了，那個神經病就交給一局處理吧！

天色也晚了，

明天得到獵人公會的周年集會現場維持治安，大家今晚早點休息喔。

真…真的嗎？怎麼會這樣呢…

調職信上明明白白寫著「附宿舍」喔？

算了，那附近有沒有便宜的旅館…

全帕加馬的旅店應該都住滿了喔，畢竟收穫祭快到了嘛。

沒…沒問題的！我們萬事科沒有其他科有的特殊福利！

算了，總比睡在大街上好⋯

方便說句話嗎？

請進。

110

你不是嗎？

路希他⋯⋯小時候遇到了一些事情，讓警察這職業在他心中有點太過理想化。

在要求自己的同時，也會不小心對身邊的人太過嚴苛。

可以的話請好好和他說明吧，他會明白的。

⋯⋯？

說明什麼？

若那孩子能成為你的助力，

你「能力所及」的事也會增加，不是嗎？

我想說的就是這些。

請等一下。

為什麼是由我去說呢？他似乎滿尊敬你吧？

這棟房子原本是總督大人的財產。

堆了很多當時的藏品和書籍。偶爾會有警員借來看。

怎麼可能。

好多書！這是您的收藏嗎？

但歸位的習慣不太好就是了。

這次總督大人也公布了和之前一樣的懸賞！

為什麼總督大人的房子變成二局…

放滿書的閣樓，簡直是夢想中的祕密基地！

在家裡看書只會被臭老爸鬧個半死……

《岡瓦納大陸古地圖》、《古精靈族魔法儀式》、

《神祕的第七系魔法》…

《龍族全圖鑑》也是彩色的！

突破人類極限打破不兩全論

聖騎士海明頓

生理限制抑或技術限制

魔法與鬥氣的不可兩全現象

不知道是誰作好了擺在廚房。

還是熱的。

這麼說來從下午開始我就什麼也沒吃。

廚房常有加班的警察作宵夜，但現在局裡沒其他人了。

我已用過餐，你不吃就只能扔了。

我要吃！

我還是拿去休息室吃吧，把書弄髒就不好了。

……

看來我們還挺投緣的，就介紹給你吧。

德布西警長。

那上面是我在這棟房子最喜歡的地方，

祕密基地！

要是累了、有什麼不如意的事情，就上去看看吧。

保證不虧

但今天晚了，明天再來吧。

不上去嗎？

吃飯

你不是要

謝謝！

你要借哪本？我順便幫你拿下去。

你是打算在休息室住多久啊？

嗯？這只是睡前讀物而已，明天早上就會拿來還了。

睡前…!?

風信子會堂。

不管是跳蚤市場、園遊會還是拍賣會，是連市政府的大人物也常利用的活動場地喔。

今天則是獵人公會的週年集會。

不只如此，會堂後方就是露天歌劇院，愛達小姐的演唱會場就在那裡！

真是多功能的地點啊⋯

畢竟戰時是情報中樞。

現在還留存著不少當時的建設呢。

問得好！

不過為什麼有人要向獵人公會抗議啊？

在抗議現場維持秩序——

幹得好沒人會感謝你，

警察打人

現場指揮不力

出事還會被長官降罪或輿論公幹…

前面是誓言保護的民眾，後面不是貴族就是金主。

這種爛工作！一定是弗雷克打壓我二局的陰謀！

以往獵人公會的集會都在北邊，那是一局的轄區喔！

……

我說真的啦！

水仙花會堂

而且獵人公會的大老闆可是被弗雷克親手從紅伯爵手上救下來的喔！

聽弗雷克的話換個集會地點什麼的……

啊，我們到了。

風信子會堂

偏偏今年有「反獵聯盟」抗議，就改到我們轄區，哪這麼巧的！

聽我說嘛！

走吧走吧。

該上工了。

他們很快就會意識到，

我們獵人公會才是真正站在民眾那一邊。

啊，先失陪了，我是出來找我助手的。

誰的主張正確先不管……怎麼說呢……

不管是會長還是成員，怎麼沒一個看起來像獵人啊？

亞倫！亞倫你上哪去了！

商業都市的獵人，風格也比較前衛嗎？

我剛才不是說，路希和獵人公會有過節嗎？

嗯。

他去年破獲一個暴力集團，還把主謀打進醫院。

我們這的獵人公會其實不是什麼正經組織。

那個主謀是獵人公會的幹部。

他現在還沒從醫院裡出來。

什麼仇什麼怨！？

咦！？

隨著戰後經濟復甦、鄰近森林大量開拓，魔獸少了很多。

大部分正經獵人都轉行了，只剩些不尊重森林規矩的三流盜獵者。

就在此時，亨特掌管了公會的經營權。

一些連冒險者公會都不收的地痞流氓也加進來。

龐馬老伯是聲望極高的退休獵人，各大氏族都得賣他面子。

至此獵人公會徹底成了亨特的私產，他毫無節制的獵捕魔獸，用毛皮和魔導素材賺進大筆金錢。

他繳交的大筆稅金，也成了帕加馬市非常重要的財政收入。

他主張近年魔獸變得愈來愈有攻擊性，是獵人公會濫捕造成的反撲。我想這是長年與森林共存者的經驗與智慧。

一邊是財政收入，一邊是人情世故。導致總督在面對雙方爭議時態度曖昧不清。

我們警察也要小心不能偏袒任何一方。

社會的縮影啊……

兩邊不討好的爛差事！

那就恭敬不如從命了。

我差不多該回去主持會議了，今天要討論對市民非常有意義的議題，請警長一起來聽聽吧！

他剛剛藏在後面嗎？

為什麼會長叫他時沒有出來？

祕密通道！！

這裡留有很多戰爭時期的設施

就像我剛才說的,

你自己聽吧,我有不好的預感。

抱歉⋯我錯過什麼了嗎?

你去哪啦?

呼一呼

魔獸造成的災害日益嚴重,

就在今早我們得到通報,這次不是旅客被襲擊這麼簡單。

那些狡詐的魔獸，居然入侵西邊的農莊、

殺害了農民的牲口！

有這回事？

西邊農莊是一局的管轄。

我們晚點也會接到通知吧。

大家都知道，西邊農莊緊鄰紅葉森林，

那裡鐵定躲藏著更加凶猛的魔獸。

我們一定要在居民受到傷害之前找到那些傢伙，

將牠們一網打盡！

殺光那些畜生！

喔喔喔喔！！

讓外面那些被蒙蔽的民眾看看！！

我們獵人公會，才是保護帕加馬免受侵害的英雄！

烏喔喔喔喔

殺

殺

喔喔喔喔！

喔喔喔喔

殺光牠們！

…我們該到外面了。

嗯……

148

…什麼意思?

開玩笑的。

我其實很清楚，這個職場不是我這種人該待的地方。

貴族圈裡，想修練劍或魔法的人通常會去當騎士。

所以…?

你見過女騎士嗎?

嗯…?

好笑吧?現在連平民女性都可以當兵了。

地位愈高包袱愈重、也就愈難以改變傳統。

話是這麼說啦……

160

FILE:5

國民歌姬

啊～累死了。

不是沒人受傷吧？

「重鎚」先生

少囉嗦！

幸好沒人受傷。

以抗議現場維安來說做得不錯了。

↑雅迪被分配到的辦公桌（未整理）

你們這邊午餐都叫外賣嗎？

看情況，如果不忙可以去外面的餐廳吃。

我幫大家把午餐拿來囉。

辛苦了。

謝啦。

明明是公家機關，卻瀰漫著一股黑心商會的味道呢。

尤其像今天上午就得出勤，會把飯提早買好。

但基本沒有不忙的時候。

聖頌祭——

勞古大陸五年一度的盛會，

各國都會派出自己的國民歌姬角逐聖頌祭冠軍。

過去這項殊榮皆由天生音色優美的精靈族獲得，

但就在去年，發生了數百年來未曾有過的一幕。

一名並非尖耳的少女站在了決賽的舞台上。

愛達是精靈與人類的混血，

她出場的瞬間，在場觀眾都屏住了呼吸。

據傳聖頌祭的評審這麼評價愛達的歌聲——

在如鮮花般優雅柔美的氣息下，

愛、愛愛愛達小姐！

真的嗎？我好高興喔！

我一直是你的歌迷，非常榮幸見到你…

真的是愛達小姐！

喔喔喔喔愛達小姐！

請看這邊！

統統給我回去工作！

抱歉讓您見笑了。

不會。大家都好有精神喔。

好了，請談正事吧。

雖然明天才是一日局長的活動，但愛達小姐想先向擔任警備的各位致意。

擔任警備…♪我們全部嗎？

沒錯！我和派斯局長爭取的！很棒吧

說好的人手吃緊呢？

為了一個藝能活動全員出動？

本來不用這麼多人，但我們收到了這樣的東西。

你想怎樣被傷害呢？

是一局的人。

動作真快。

不是吧？明明我們離案發現場比較近耶。

喂喂喂，我可是二局的古巴督察，有什麼好不給進的？

請留步，任何人都不可擅進案發現場。

我警告你喔！

就怎麼樣？

再不讓我們過去，我就……

哎呀，這不是蘭多夫督察嗎？

我們是來幫忙的，不要拒人於千里之外嘛。

你們就繼續為了守護市民的娛樂努力吧，重大案件就交給真正的警察來處理。

更何況，二局最近不是正為某個小偶像忙得不可開交嗎？

少囉唆！

照規矩，斯巴廣場的案件先來者得調查權。

紅伯爵的凶案對帕加馬影響深遠沒時間吵架了。

我們二局也有權利共享情報。

胡說八道，誰跟你說這案子和紅伯爵有關了？

聽到了吧，不准任何閒雜人等靠近。

是！

斯巴廣場的屍體

一般被火魔法燒死的屍體

根據屍體損毀的程度，

周遭未免太乾淨了。

那正是紅伯爵慣用的伎倆。

因為暗屬性魔力有攀附並奪取生命的特性，

並非使用瞬間高溫的火焰轟炸，而是將暗屬性的魔力滲入火魔法中。

那種火焰會死死纏繞在被害者身上，直到其化為焦炭，

卻不會延燒附近的物件。

難道不是模仿犯嗎？八年前還不好說，如果是暗屬性逐漸被接受的現在，有人習得這種方法⋯

還有一個依據。

就是那個笑臉般的圖形。

一般大眾只知道紅伯爵犯罪後會在屍體旁畫笑臉，

報紙也是這麼報導的。

但只有多次閱覽圖形的警察才會注意到，每個笑臉的左側，都會多一個像是黑點的符號。

確實⋯⋯我還以為那是污漬。

我對魔法不太熟，你覺得禁咒法有可能被解除嗎？

但禁咒法……

以現有魔法理論來說，不可能。

還是禁咒法施法不完全？

不不，從魔力的結構上來說……

如果是共犯或……

帕加馬鎮王立警察總署第一分局

尤金前輩。

沒想到您親自來了，

之前屬下在場，不便多做招呼。

別這麼拘謹，你都是局長了。和我這種老頭講什麼禮數。

這只是對過去照顧我的前輩最基本的敬意。

您終於打算調職來一局了嗎？

我們永遠為您保留一個位置。

別再笑話我了，我悠閒等待退休的決心不會改變的。

202

我是來拜託你，能否讓二局參與調查斯巴廣場的命案。

這聽起來不像等待退休的人會提出的要求啊⋯

也就是說，蘭多夫比二局先到現場了是吧？

她有時態度確實過於強硬，但若沒有違反規定，我也不方便介入她的工作。

凶手是紅伯爵，弗雷克。

魔王麾下確實有兩頭很有名的魔龍，但是……

即使是聖騎士殺死了魔王的那場激鬥中，牠們都沒有現身。

魔龍在戰爭的後期不見蹤影，

當然，討伐魔龍是大戰之後的事了。

我沒那麼老

我只聽過傳聞，原來你是與雙親一同狩獵的。

令尊與令堂想必也很是強大的冰魔法使吧。

哈……只是占了屬性剋制的便宜罷了。

嗯？

顏色倒是沒錯，是品種差異嗎？

爪子是平的……和圖鑑裡看到的火龍爪不太一樣。

圖鑑上是長這樣

龍的話題就到此為止。

屠龍的名號對我來說著實有些沉重了，所以我一直沒有提起。

直到當上局長後被八卦小報挖出來

這副龍爪也是，剛到帕加馬那幾年一直被我收在倉庫裡。

這龍爪在今日成了我對家人唯一的紀念。

萬萬沒想到，

那麼，我們先告辭了。

慢走。

當一切塵埃落定時，

已經是白雪靄靄的季節了……

弗雷克局長逮捕紅伯爵時發生了什麼，可以和我詳細說說嗎？

大師。

故意的!?

有興致了？看來我稱呼你「有幹勁的年輕人」沒有錯啊。

不不我對凶殺案才沒興趣。

我只是想多少做點薪水分內的事情而已。

一定是這樣！

紅伯爵在八年前入秋時出現的。

那一天，

童話中的惡魔化為現實。

但就算如此，把案發現場丟給你一人看守也太過分了吧？

你的組長是洛特吧？要不要我幫你念他幾句。

哈哈，您的好意我心領了。

我只是個巡察，又是移民，就算不用看守現場，他們也不會把重要的工作交給我。

要是能讓探員們專心查案，我在這對案件多少也算有些貢獻吧。

我記得弗雷克很擅長冰魔法，可惜歧視移民的風氣，在警局待了好幾年都無法升官……

這麼晚了，您來是調查有沒有遺漏的線索嗎？

不，我只是路過罷了。

這個現場能提供的線索根本一目了然啊。

據說被害者
是銀徽級的
退役軍人。

是啊…
連銀徽級的
戰士都拿
紅伯爵沒轍。

目前唯一見到
紅伯爵卻沒死
的目擊者
是個小孩。

但除了「男人」
和「六指」之外
沒有其他情報。

紅伯爵不殺
小孩嗎？

不，在這前後
兩名不滿十五歲
的孩童遇害。

連環殺手常見
的偏好或堅持
都不存在，
紅伯爵
究竟是……

那麼，我請內人到車站接他們吧？

咦!?

我先在警局接待他們，你休息完再來就行了。

那怎麼行，未免太給兩位添麻煩了……

沒這回事。

兒子獨立後，我妻子一身作菜本領無處發揮，閒得發慌呢。

怎麼不請幾個朋友回家給我招待招待啊？

現在誰還有心思串門啊？

那你還不快把犯人抓了！

別說得跟去買菜一樣！

夫人相當有個性呢……

更重要的是，我想讓你家人明白，

也許現在你無法得到長官青睞。

但賞識你、關心你的、困難時願意出手幫助你的人比想像中多。

也許就像人們說的，紅伯爵是無法違逆的天災。

身為凡人，再怎麼對著洪水咆哮都沒有意義。

我們知道紅伯爵的長相了！

．．．

新的倖存者是來自迪伏列王國的旅人，紅伯爵先是殺了他朋友。

他情急之下用母語求饒，不知為何紅伯爵沒下殺手就離開了。

你是說紅伯爵不殺迪伏列人⋯

不對，編號十一、十二的受害者就是⋯

你真的是因為兒子才不回調查小組嗎？

聽到新線索的那瞬間，我意識到了。

我最想做的事——

是衝去找倖存者，把所有情報榨出來，再掀翻整個帕加馬找出紅伯爵，用拳頭把他活活打死。

謝謝您，前輩。

這不是一個警察該有的念頭。

我不知道。

所以我賭了一把。

您不想被仇恨左右⋯但弗雷克就不會嗎？

接下來的發展，報章雜誌都寫得比我知道得清楚。

234

副警長小時候是精靈養大的，那你以前住在精靈街嗎？

嗯，我從八歲開始，到十七歲都和養母住在這裡。

愛達小姐也是嗎？

不是喔，媽媽是外地來的精靈，結婚後住在爸爸的老家。

但精靈街不少媽媽的朋友，她常常帶我來這裡玩。

你小時候住在人類的街道上⋯⋯不會被欺負嗎？

不會啊，大家都對我很好。

你應該比較希望雅迪來當護衛吧？女孩子間也比較有話聊…

抱歉！

？

好像不會！

粗糙魔獸幼仔的雕刻哪裡可愛了？而且指頭的數量錯了

感覺像是雅迪會說的話。

你想讓同事發揮長處，反抗了上司。

我覺得這很了不起喔！

明明只要不說話就可以了。

呃…不…那是因為……

我就爛

那傢伙連給下屬找碴的膽都沒有…

很多事情，

心裡再怎麼覺得「這樣不對」，只要保持沉默就不會有壞事發生。

明明沉默就好，

沒有人會受傷、

沒有人會責怪。

像我這樣懦弱的人居然被稱作「帶來勇氣」的歌姬，

很可笑吧？

我覺得那種⋯接受現實中的無奈，

摸索新的、能與自己、他人和平共處的方法，

才是真正拿出勇氣在與現實戰鬥的人。

畢竟放棄也是需要勇氣的，

我這種體質註定做什麼都是半調子。

我沒把握能做到一樣的事情。

⋯⋯

聽說今天歌姬愛達會去當一日局長耶。

免了，我最討厭條子。

客人，已經七點了。

客人？

－下集待續－

Extra:1

~~FILE.~~

大家的孩子

十二年後

路希！

三街那個內褲竊賊的移交手續怎麼了？

科長還沒簽名，我晚點送過去。

路希，昨天的竊盜案⋯

負責現場的小道出勤了，等他回來再通知你。

不是，剛才送來了追加。

D45案的物證清單⋯

還有!?

我整理到一半⋯

約瑟芬妮（養母）
＋四個精靈姊姊

忙了這麼久，
不考慮請個
特休嗎？

約瑟芬妮女士
說你很久沒
回去看她囉？

饒了我吧…

看起來真
夠嗆啊。

在警局住
三天罷了，
小意思。

偶爾吃點清淡
的也沒什麼不
好吧？

不，
問題不在
那裡……

母親在飲食上
很接近傳統精靈，
幾乎不碰肉……

……

去一局吧。

路希……

上次破獲的暴力集團，你功勞最大。

趁機申請調一局，他們不會拒絕的。

我們人手不足，但雜務慢慢來也不會出人命。

大家都覺得，我是因為小時候的經歷，才特別憎恨抓小孩子歹徒。

連我自己都這麼覺得。

當時我常常到警局找你，很多人都認識我。

但你還記得，你那時對我說了什麼嗎？

原來如此。

不過……路希啊

我還記得那天，行動結束時已經很晚了，只能讓你們暫時待在警局裡。

棉被和食物都不夠。

孩子們的情緒都很沮喪。

但有個孩子主動安慰別人。還把自己的食物分出去。

你是我見過最勇敢最堅強的孩子。

完——

三年前

存款好少…

暫時沒有新的想法…

手上的連載快結束了…

貓罐錢該怎麼辦…

要不要來畫輕小說改編？

企劃

CCC J編

大魔法

A書生 K編

於是大魔法的旅程就開始了。

感謝CCC和獨步的賞識，還有浩基老師大海一般的寬闊胸襟。

Just do it!!

因為實在辦不到月更36頁，連載前花了一年時間在積稿。

花一年畫得不到讀者回應的東西，放在過去的我應該難以想像。

這本書出版時我應該回到了第一格的狀態，但有存款ya

請大家繼續用關愛的眼神期待我下一部作品。

浩基老師幫我們寫了新腳本喔！

NEW!

日本漫畫家都怎麼活下來的…？

原案後記

大家好，我是《大魔法搜查線》小說作者陳浩基。原作小說在二〇一〇年前後完成，或許有讀者覺得奇怪，為什麼漫畫版的《大魔法搜查線RESET》中，我掛的職銜不是「原作／編劇」而是「原案」。的確小說和漫畫版兩者情節大致上相同，重要改動——像主角雅迪從小說版的男性改為漫畫版的女性——我也有參與討論（嚴格而言更可以說是不負責任的始作俑者）（汗），但由於我認為霖羯才是這部漫畫的真正靈魂人物，所以我只願意自稱「原案」。和小說相比，《RESET》的角色描繪豐富生動許多，連載期間我每次閱讀，都十分期待霖羯以新角度去詮釋情節，而每次我也十分讚嘆，發現原來我筆下的角色能以如此不一樣的風格來演繹這故事，從畫風、設計至分鏡都無懈可擊，甚至覺得某些改動有趣得讓我自愧不如（譬如帕加馬的別稱「異人之都」就是漫畫原創）。

假如您喜歡這個第一集，請繼續支持接下來的第二、第三集。有興趣一睹男版雅迪（和女版路希）跟漫畫版主角有什麼異同的話，也可以看看由獨步重新推出的 ~~修訂版小說~~，我猜這兩個平行世界的「帕加馬收穫祭騷動」能為您帶來不一樣的樂趣。

✎編案：預計下個月出版！

陳浩基

NAZOMAN 23

大魔法搜查線 RESET　　Ⅰ

作　　者／霖羯（漫畫家）、陳浩基（原案）
漫畫助手／姜君

首　　發《CCC 創作集》　　　　　單行本製作
企畫編輯／CCC 創作集編輯部　　責任編輯／詹凱婷
責任編輯／張祐玟　　　　　　　行銷企劃／徐慧芬
製　　作／文化內容策進院　　　行銷業務／李振東、林珮瑜

總 經 理／謝至平
榮譽社長／詹宏志
出 版 社／獨步文化
　　　　　城邦文化事業股份有限公司
　　　　　105台北市南港區昆陽街16號4樓
　　　　　電話：(02) 2500-7696　傳真：(02) 2500-1967
發　　行／英屬蓋曼群島商家庭傳媒股份有限公司
　　　　　城邦分公司
　　　　　105台北市南港區昆陽街16號4-8樓
網　　址／www.cite.com.tw
讀者服務專線／(02) 2500-7718；2500-7719
服務時間／週一至週五　09：30 ～ 12：00
　　　　　　　　　　　 13：30 ～ 17：00
24小時傳真服務／(02) 2500-1900；2500-1991
讀者服務信箱E-mail／service@readingclub.com.tw
劃撥帳號／19863813
戶　　名／書虫股份有限公司
香港發行所／城邦（香港）出版集團有限公司
　　　　　　香港灣仔駱克道193號東超商業中心一樓
　　　　　　電話：(852) 2508-6231　傳真：(852) 2578-9337
馬新發行所／城邦（馬新）出版集團　Cite (M) Sdn Bhd
　　　　　　41, Jalan Radin Anum, Bandar Baru Sri Petaling,
　　　　　　57000 Kuala Lumpur, Malaysia.
　　　　　　Tel: (603) 90578822　Fax: (603) 90576622`
　　　　　　email:cite@cite.com.my

封面設計／高偉哲
排　　版／高偉哲
印　　刷／中原造像股份有限公司
□ 2024年（民113）11月初版
售價360元